tin vert
tralalala

La malédiction des petits pois

Aux pois plumes. – L. C.

Catalogage avant publication de Bibliothèque et Archives nationales du Québec
et Bibliothèque et Archives Canada

Chartrand, Lili

La malédiction des petits pois
Pour enfants de 3 ans et plus.
ISBN 978-2-89686-612-0
I. Rodrigue, Annie, 1982-   . II. Titre.

PS8555.H43M33 2013   jC843'.6   C2012-942175-8
PS9555.H43M33 2013

Chargée de projet : Françoise Robert
Directrice artistique : Marie-Josée Legault
Réviseure linguistique : Valérie Quintal
Graphiste : Dominique Simard
Dépôt légal : 1ᵉʳ trimestre 2013
Bibliothèque et Archives nationales du Québec
Bibliothèque et Archives Canada

Dominique et compagnie
300, rue Arran, Saint-Lambert (Québec)
Canada J4R 1K5
Téléphone : 514 875-0327
Télécopieur : 450 672-5448
Courriel : dominiqueetcie@editionsheritage.com

www.dominiqueetcompagnie.com

Imprimé en Chine

Nous reconnaissons l'aide financière du gouvernement du Canada
par l'entremise du Fonds du livre du Canada et par le Conseil des Arts du Canada.

Nous reconnaissons l'aide financière du gouvernement du Québec
par l'entremise du Programme de crédit d'impôt – SODEC – Programme d'aide à l'édition de livres.

La malédiction des petits pois

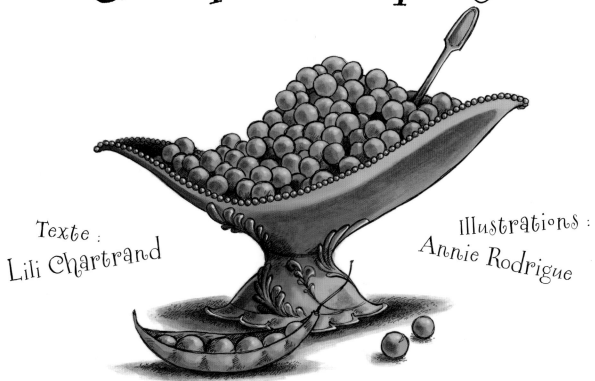

Texte :
Lili Chartrand

Illustrations :
Annie Rodrigue

Dominique et compagnie

Clara était une petite fille tranquille.
Trop tranquille. On aurait dit un *fantôme!*
Elle parlait tout bas et avait un rire étouffé.
Elle se déplaçait à pas de loup et
courait sur la pointe des pieds.
Elle jouait sans faire de bruit et
sans rien casser.

Clara était aussi serviable,
surtout envers madame Verdi.
La vieille dame lui offrait toujours
une collation pour la remercier
de ses services.

Un jour, alors qu'elle revenait de chez madame Verdi l'estomac bien rempli, Clara trébucha sur les racines d'un chêne et se tordit la cheville. La fillette resta assise dans l'herbe, à pleurer en silence. Morte d'inquiétude, sa maman ne la retrouva qu'une heure plus tard.

Cet incident fit prendre conscience à la maman de Clara
que la tranquillité de sa fille la rendait folle !
Elle décida donc d'acheter des petits pois pour Clara.
Oui, des petits pois. Car, de mère en fille,
une malédiction pesait sur la famille.

Dès qu'on mangeait
ces petits légumes verts,
son caractère changeait
de façon radicale.

Depuis la naissance de
sa fille, il n'y avait donc
jamais eu de petits pois
dans le garde-manger.
Mais l'idée d'en donner
à Clara était trop alléchante…
Ce serait si amusant
de la voir enfin turbulente !

Ce soir-là, Clara découvrit donc les petits pois.
Plus elle en mangeait, plus elle aimait ça !
Une lueur verte brillait dans ses yeux foncés.
La fillette devenait de plus en plus bruyante
après chaque petit pois avalé.
Tout à coup, elle se mit à chanter :
– Tralalalala,
j'aime les petits pois !
C'est aussi bon
que du chocolat !

La maman de Clara
était enchantée
d'entendre sa fille
chanter à tue-tête,
même si celle-ci
chantait faux !

Le repas à peine terminé,
Clara se mit à courir
partout dans la maison.
On aurait dit une tornade.
– Whoooush!
Je suis un avion ! criait-elle
les bras tendus.

Elle termina sa course sur le canapé du salon, s'empara d'un coussin et hurla :

– À l'attaque !

Après une bataille mémorable, Clara se calma. Elle avait digéré
ses petits pois. De nouveau elle-même, elle murmura :

– Je suis fatiguée et j'ai mal à la gorge.
J'ai peut-être un rhume ?

– Mais non, ma chérie, ça va passer,
la rassura sa maman. Tu vas dormir
comme un bébé !

Le lendemain matin,
la maman de Clara
fut réveillée par la porte
d'entrée qu'on fermait
à toute volée.
« Pourtant, Clara
ne claque *jamais*
les portes ! »
pensa-t-elle,
intriguée. Elle regarda
sa montre : six heures !
Et si c'était…
un voleur ?

Munie d'une chaussure à talon aiguille,
elle se dirigea vers la chambre
de sa fille. Elle y trouva le lit défait,
alors que Clara faisait *toujours* son lit.
« Aurait-on enlevé ma fille ? »
songea-t-elle, soudain inquiète.
Elle courut jusqu'à la salle de bains et
poussa un cri. La baignoire débordait
et le miroir était barbouillé
de son rouge à lèvres préféré !

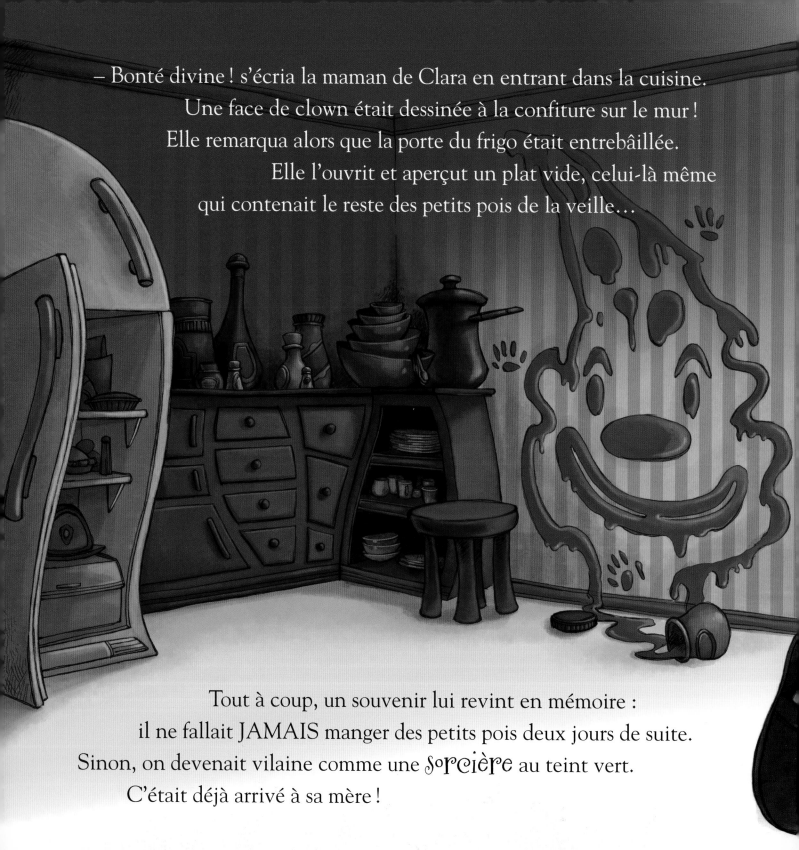

– Bonté divine ! s'écria la maman de Clara en entrant dans la cuisine.
Une face de clown était dessinée à la confiture sur le mur !
Elle remarqua alors que la porte du frigo était entrebâillée.
Elle l'ouvrit et aperçut un plat vide, celui-là même
qui contenait le reste des petits pois de la veille…

Tout à coup, un souvenir lui revint en mémoire :
il ne fallait JAMAIS manger des petits pois deux jours de suite.
Sinon, on devenait vilaine comme une $orcière$ au teint vert.
C'était déjà arrivé à sa mère !

« Il faut vite que je retrouve Clara ! » se dit-elle
en enfilant un imperméable
par-dessus son pyjama.

Pendant ce temps, Clara-tête-de-pois s'amusait énormément.
À cette heure matinale, le quartier dormait encore.
La petite fille verte en profita pour peindre de vilains
bonshommes sourire sur les vitrines des commerçants.

En traversant le parc, elle versa de la peinture verte
dans la fontaine.

Puis, elle s'arrêta pile devant la maison
de madame Verdi… Les sept nains de jardin
de la vieille dame se retrouvèrent peinturlurés
en un rien de temps. Qu'est-ce que c'était amusant !

Comme son pot de
peinture était vide,
Clara-tête-de-pois
le renversa
sur la tête d'un nain,
puis elle coinça
son pinceau
dans l'oreille
de son voisin…

– Hi ! Hi !
Ils ont l'air ridicule !
ricana-t-elle,
ravie.

De son côté, la maman de Clara
découvrait les délits de sa fille.
« Quelle idée j'ai eue… » se dit-elle, atterrée.

Ayant fait le tour
du quartier sans succès,
la maman de Clara revint
à la maison, très inquiète.
Elle aperçut alors une trace
de main verte sur la poignée
de la porte… Sans bruit,
elle la tourna puis entra.
Sa fille était profondément
endormie sur le canapé !

La maman de Clara décida d'en profiter pour tout nettoyer.
Sa fille serait trop malheureuse si elle apprenait
qu'elle était coupable de tous ces méfaits !

Dans le quartier, quelques lève-tôt parlèrent d'un lutin vert
qui se déplaçait à la vitesse de l'éclair.

Personne n'identifia Clara,
au grand soulagement de sa maman.

Clara redevint donc aussi discrète qu'un fantôme.
Mais sa maman ne s'en plaignait plus.
Elle appréciait maintenant la présence tranquille de sa fille !
« Quels beaux moments paisibles et complices ! »
pensait la maman de Clara.

C'est alors que
le téléphone sonna.

Clara répondit. C'était madame Verdi.

– Viendrais-tu m'aider à nettoyer mes nains de jardin?

La petite fille accepta avec joie.

– Pauvre madame Verdi ! dit-elle avant de quitter la maison.

Qui a pu peinturer ainsi ses nains ?

J'espère que ça ne se reproduira plus !

– J'en suis convaincue ! répondit sa maman
en l'embrassant.

Deux heures plus tard, Clara rentra à la maison en claquant la porte.
Sa maman sursauta. « Elle a un petit sourire bien malicieux »,
songea-t-elle, soudain inquiète.

Elle lui demanda :
– Qu'as-tu mangé comme collation chez madame Verdi ?
– Elle m'a fait goûter un nouveau fruit exotique, la pitaya jaune,
répondit Clara. C'est délicieux, on dirait du soleil en morceaux !
Maman ? Pourquoi es-tu tout à coup blanche comme un linge ?

La maman de Clara
venait d'apercevoir
une petite *lueur jaune*
dans les yeux de sa fille…

Clara-tête-de-pois

Whoooush!